Marta Rivera Ferner

# EL IMPERIO DE LOS INCAS

**Dirección Editorial:** Raquel López Varela
**Coordinación Editorial:** Ana María García Alonso
**Maquetación:** Cristina A. Rejas Manzanera
**Diseño de cubierta:** Francisco A. Morais
**Diseño de interiores:** Álvaro Reyero y Editorial Everest
**Ilustración:** Marta Rivera Ferner
**Fotografías:** Archivo Everest



SEGUNDA EDICIÓN


Carretera León-La Coruña, km 5 - LEÓN
ISBN: 978-84-241-8718-7
Depósito legal: LE. 795-2011
Printed in Spain - Impreso en España

EDITORIAL EVERGRÁFICAS, S. L.
Carretera León-La Coruña, km 5
LEÓN (España)
**Atención al cliente: 902 123 400**
**www.everest.es**

# ÍNDICE

Hace muchos siglos, **Viracocha**, el Creador, envió a algunos de sus hijos a que encontraran un lugar en el mundo donde fundar una gran ciudad. Desde el lago Titicaca, partieron los cuatro hermanos con sus mujeres. Todos ellos llevaban lujosas vestimentas y joyas de oro.

**Manco Capac** era el jefe del grupo y portaba una jaula con un halcón dorado (el pájaro Inti) y un bastón de oro que le indicaría el sitio elegido, al hundirse en la tierra. En todas partes clavaba su bastón, pero la tierra se negaba a tragárselo.

Un día, Manco le pidió a su hermano **Cachi** que trajera de una cueva una vasija de oro que contenía semillas para plantar en la tierra elegida. Cachi partió con su escudero, Tambo Cachay, que lo odiaba. Cuando Cachi penetró en la cueva, Tambo la cerró con una gran piedra. Cachi no pudo salir y lanzó una maldición que convirtió a Tambo en piedra.

Mientras tanto, Manco avanzaba con su gente. Al llegar a las laderas del Huanacauri encontraron un buitre de piedra, tallado en ella. Manco envió a su hermano **Uchu**, al que le habían brotado alas, para que observara de cerca al buitre. Uchu se acercó demasiado y al rozar con el ala al buitre quedó convertido, también él, en piedra.

El tercer hermano, **Sauca**, decidió quedarse entre los campesinos y así se transformó en espíritu de los campos.

Manco llegó al valle de Cuzco a un lugar llamado Huaynapata, a 3 500 metros de altura. Allí, junto a **Mama Ocllo**, su mujer, clavó el bastón en el suelo y la tierra se lo tragó. Pronto nació un árbol que floreció.

Manco dijo: "En este lugar levantaré un gran palacio y una gran ciudad", pero el viento soplaba tan fuerte que le fue imposible poner piedra sobre piedra. Entonces, encerró al viento en una jaula. Pero, vino a verlo Sauca y le dijo:

—¿Qué has hecho con mi viento? No puedes encerrar a un espíritu libre.

—¿Qué puedo hacer? —respondió Manco—. El viento me derriba los muros.

—Está bien —dijo Sauca—, tenlo encerrado un día más. En ese tiempo construirás Cuzco y tu palacio. Luego, lo dejarás libre.

Manco, sabiendo que sería imposible levantar una ciudad en un solo día, subió a lo más alto de una montaña. Al llegar arriba, esperó a que el Sol pasara por encima, entonces, lo atrapó con una larga soga y ató ésta a una roca. Lo mantuvo así durante meses y nunca se hizo de noche. En ese tiempo, Manco Capac levantó un palacio y, alrededor de él, la ciudad de **Cuzco**, la capital del Imperio incaico, llamada el **Ombligo** del **Mundo**.

# CRONOLOGÍA

**1100**

Fundación mítica de Cuzco.

Los aztecas se internan en México buscando tierras donde asentarse.
1105 Se consagra la catedral de Santiago de Compostela.
1137 Unión de Aragón y Cataluña.
1174 Se levanta la torre de Pisa.
1187 Referencias a la primera brújula.

**1200**

El dominio inca se extiende más allá de Cuzco.

Los aztecas se instalan en Chapultepec.
1206 Los mongoles invaden China.
1243 Fundación de la Universidad de Salamanca.
1252 Comienzo del reinado de Alfonso X el Sabio.
1290 Expulsión de los judíos de Inglaterra.
1291 Primeros vidrios transparentes en Italia. Invención de las gafas.

**1300**

El Inca Roca es el primer jefe en tomar el nombre de Sapa Inca (rey único).

Los incas avanzan sobre tribus vecinas.

La civilización maya en Yucatán comienza a declinar.
Se comienza a utilizar la pólvora con fines militares.
Los aztecas fundan la capital Tenochtitlán.
1337-1453 Guerra de los Cien Años entre Inglaterra y Francia.
1348 La peste negra mata a la mitad de los europeos.

Los aztecas levantan un poderoso imperio. Moctezuma es elegido emperador.
Florece el Renacimiento italiano.
Se inventan el astrolabio naútico y el cuadrante.
1425 Unión de Aragón y Navarra.
1450 Gütenberg inventa la imprenta.
1479 Unión de Castilla y Aragón.
1492 Colón llega a América.
1492 Expulsión de los judíos y conquista de Granada.
1498 Vasco de Gama llega a la India.

**1400**

Reinado del Inca Viracocha.
En 1438 con el comienzo del reinado de Pachacuti se inicia la gran expansión inca que continúa con Topa Inca Yupanqui.
En 1493 sube al trono Huayna Capac.

Llegan los primeros exploradores ingleses, holandeses y franceses.
Llegan esclavos de África.
1508-1512 Miguel Ángel esculpe el David y pinta la Capilla Sixtina.
1513 Vasco Núnez de Balboa descubre el Pacífico.
1516 Carlos I es coronado rey de España.
1519 Lutero es expulsado de la iglesia católica.
1522 Sebastián Elcano completa la vuelta al mundo.

**1500**

En 1525 muere Huayna Capac y comienzan las guerras entre sus hijos Huascar y Atahuallpa por el trono.
En 1532 Pizarro llega al Perú.
En 1533 muere Huascar y Pizarro, tras meses de secuestro, ejecuta a Atahuallpa, llegando así el final del imperio inca.

# ➤ **ORIGEN** DEL PUEBLO INCA

*A la cultura Chavín se la considera la más antigua y madre de todas las demás culturas del Perú antiguo. Esta civilización desapareció en el siglo V antes de Cristo. Los incas acudían a la ciudad de Chavín para honrar a "sus antepasados".*

A pesar de esto, el origen de los incas aún no ha sido aclarado de forma definitiva. Pertenece más al campo de la leyenda que al de la historia.

De todas maneras, se presume que en un principio los incas no eran un pueblo sino un pequeño grupo familiar que provenía de la zona del lago Titicaca, donde antiguamente se habría encontrado la magnífica ciudad de Tiahuánaco. Merced a alianzas matrimoniales con otras familias o pueblos fueron haciéndose fuertes y lograron que otras tribus se unieran a ellos y se los reconociera como el pueblo inca. Esto ocurrió durante el reinado de Sinchi Roca, hijo de Manco Capac, el primer Inca.

Sinchi Roca no fue un soberano muy importante, pero su política de ir paso a paso, asentó las bases para la construcción de un imperio y dejó establecido para siempre el derecho de los incas a permanecer en el valle de Cuzco.

## LEYENDA SOBRE EL ORIGEN DEL MUNDO

Hace mucho tiempo, alrededor del lago Titicaca, habitaban muchos pueblos diferentes que adoraban a Paa Zuma.

Eran seres humanos de gran estatura que habían sido creados por Viracocha, creador del Cielo y de la Tierra. Pero estos hombres enojaron a Viracocha que los transformó en piedra.

Luego, hubo un gran diluvio y todo quedó bajo las aguas. Sólo se salvó un felino que quedó prisionero en una isla. Durante mucho tiempo, sobre la faz de la tierra, sólo se vio el reflejo verde de los ojos del puma.

Un día, las aguas bajaron y apareció Viracocha que era alto, blanco y barbudo. Reemplazó los ojos del puma por el Sol y la Luna y a los antiguos gigantes de piedra por hombres normales, modelados con el barro del lago. Les enseñó las lenguas, las costumbres, las artes y las ciencias. Después, se fue hacia el oeste, andando sobre las aguas.

# ➤ ORGANIZACIÓN SOCIAL

*La sociedad estaba perfectamente organizada en forma de pirámide. En ella se distinguían tres clases sociales:* ***la cima:*** *integrada por el Inca y la realeza;* ***el centro:*** *compuesto por la nobleza y los sacerdotes;* ***la base:*** *constituida por el pueblo.*

El **Inca** era considerado el hijo del Sol y tenía el poder absoluto. La **realeza** estaba integrada por su mujer (la Coya) y sus hijos.

La **nobleza** estaba constituida por los demás parientes del Inca y por los descendientes del Inca anterior. También integraban la nobleza, los reyes de los pueblos vencidos y sus sucesores. A este conjunto se lo llamaba panaca y, a sus integrantes, orejones, a causa de pesados pendientes de oro que usaban como distintivo de su rango. Ayudaban al Inca en el gobierno y tenían cargos políticos y militares.

El hombre de pueblo era el **hatun runa**. Educado desde pequeño para ser un ciudadano útil, cada individuo debía saber hacerlo todo, incluida su ropa y su calzado. El pueblo, además, estaba constituido por los pescadores, carpinteros, trabajadores del metal y de la construcción, artesanos y pastores. Los artesanos eran los ciudadanos más respetados.

**Los incas consideraban delitos la mentira, el robo y también la holgazanería. En su saludo decían "No mientas, no robes no seas holgazán".**
**Las casas no tenían puertas, ya que no había motivos para robar. El Inca les daba a todos lo que pudieran necesitar, por lo tanto, nadie tenía más que otro.**

# ORGANIZACIÓN POLÍTICA

*La organización política se basaba en el **ayllu** (agrupación de familias) que trabajaba un terreno común.*

El jefe de cada familia era el **puric**, un adulto responsable de los suyos que pagaba impuestos y que había cumplido con el servicio militar.

Un **curaca** o anciano sabio, perteneciente a los orejones, controlaba cada ayllu y era el vínculo con las autoridades del imperio. Era, además, el encargado de repartir las tierras dentro del ayllu.

Por encima del curaca estaba el **gobernador de provincia** y, por arriba de éste, los cuatro **apos** elegidos entre la nobleza y que eran los encargados de controlar las cuatro partes en que se dividía el imperio.

La base económica del imperio era la agricultura, por eso era tan importante que todos trabajaran la tierra. Además, tenía un valor sagrado porque en ella enterraban a sus muertos.

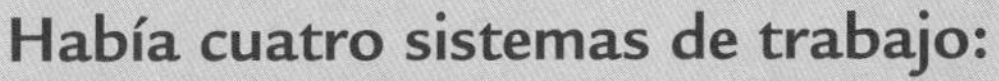

**Había cuatro sistemas de trabajo:**
**1. El ayni o trabajo colectivo. Intervenían todos los miembros útiles del ayllu.**
**2. La minca consistía en trabajar las tierras del Sol, destinadas a la alimentación del Inca, su familia, los nobles y los sacerdotes.**
**3. La mita consistía en realizar trabajos para el Imperio (construcción de palacios, caminos...)**

**A nadie se le permitía cambiar de residencia, a menos que lo ordenara el Inca. "Se nace y se muere en un ayllu", sostenían los incas.**

# EL INCA

*El Inca era la autoridad máxima. Él declaraba la guerra o la paz; resolvía los problemas económicos e impartía justicia. La palabra inca deriva del término Inti (Sol). Era el representante del Sol en la Tierra.*

El pueblo estaba convencido de que todas las desdichas del Imperio dependían de la salud del Inca, ya que si él enfermaba, el Sol perdería su fuerza y ellos morirían. El Inca velaba por su pueblo. Les garantizaba casa, comida y ropa y todo lo que pudieran necesitar.

Cada Inca tenía su propio palacio, no ocupaba el palacio de su antecesor. Todas sus ropas eran confeccionadas por las **Vírgenes del Sol**, jóvenes muy bellas, dedicadas a servirlo. El Inca no usaba nunca dos veces la misma prenda. Un dignatario se encargaba de quemarla solemnemente. Lo mismo hacía con la comida sobrante. Nada que hubiera tocado el soberano podía ser tocado por otra persona. Se consideraban elementos sagrados. Comía en platos de oro o de plata y también esta vajilla era destruida una vez utilizada.

Tenía unas 8 000 personas a su servicio, pero sólo 50 de ellas podían acercársele. Nadie osaba mirarle a los ojos. Cuando recibía a alguien, éste debía descalzarse y agachar la cabeza en señal de sumisión. En estos casos, el Inca se ocultaba tras una cortina, sostenida por dos de sus sirvientes.

Nunca iba a pie a ningún lado. Se le trasladaba en su silla de oro y los porteadores iban lujosamente engalanados. Delante de él iban los barrenderos, despejando el camino de piedras. Luego, venían los purificadores del aire, arrojando esencias y elixires.

El Inca era seguido continuamente por una de sus bellas criadas quien debía recoger cada cabello que al Inca que se le cayera y tragárselo para impedir que alguien realizara con él un hechizo. Otra de las criadas debía encargarse de la saliva del Inca, tragándose lo que el soberano escupía.

**Cuando el Inca mataba a algún enemigo muy importante, utilizaba la calavera del muerto para beber en ella la chicha, bebida sagrada hecha de maíz.**

Cuando un Inca moría, era común que sus mujeres y sirvientes se suicidaran. El Inca (el Sol) debía casarse con su propia hermana (la Luna), quien pasaba a ser la **Coya**, la reina del Imperio, pero nadie más podía casarse con su propia hermana porque ese hecho era considerado delito.

# ➤ **CONQUISTAS** Y EXPANSIONISMO

*Cuando el primer Inca, Manco Capac, se estableció en el valle de Cuzco, existían allí otras tribus, algunas de las cuales se unieron a los incas pacíficamente. Los incas eran un pueblo agrario antes que guerrero. Antes de conquistar a otros pueblos recurrían a la persuasión y sólo en última instancia entraban en guerra.*

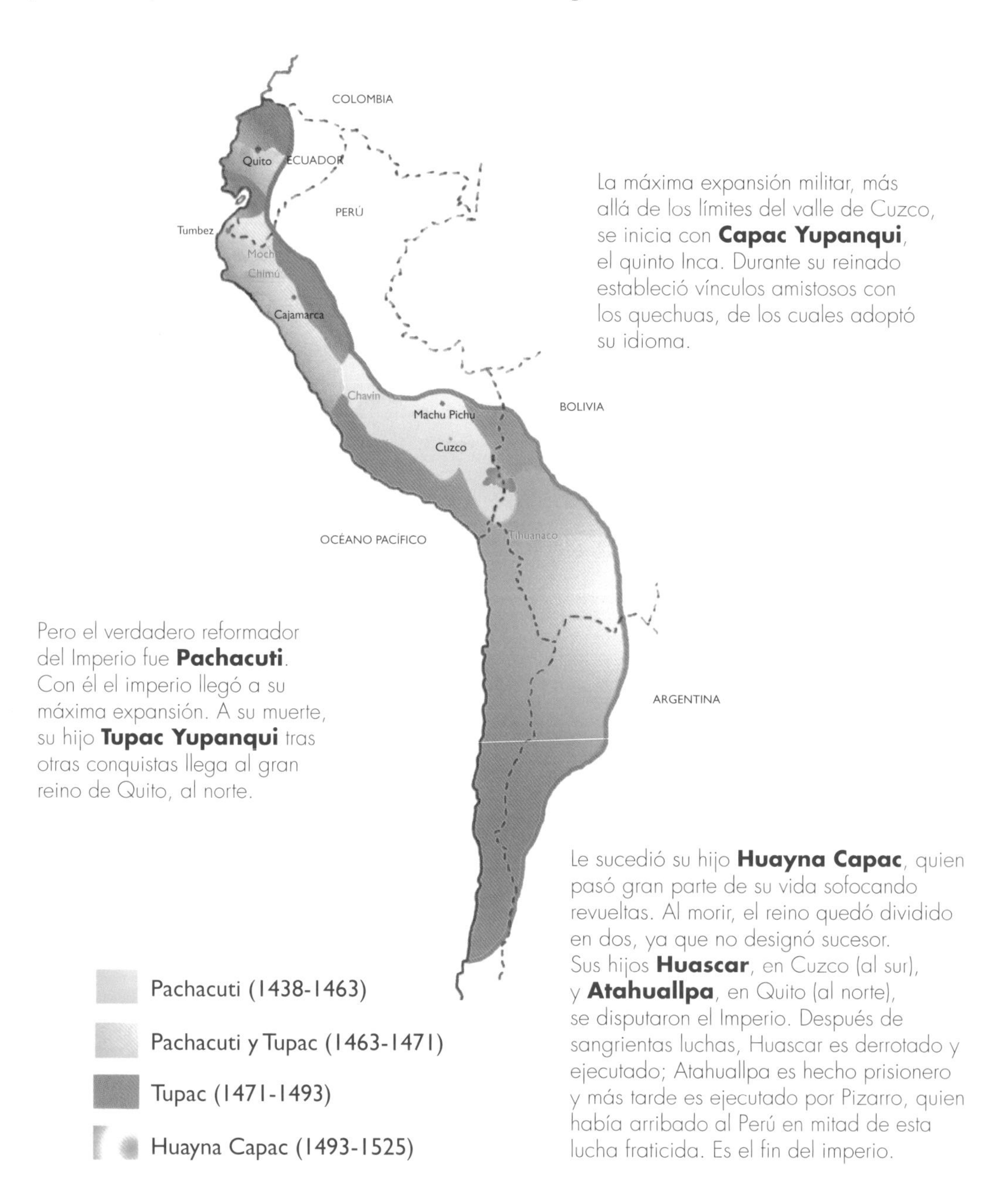


La máxima expansión militar, más allá de los límites del valle de Cuzco, se inicia con **Capac Yupanqui**, el quinto Inca. Durante su reinado estableció vínculos amistosos con los quechuas, de los cuales adoptó su idioma.

Pero el verdadero reformador del Imperio fue **Pachacuti**. Con él el imperio llegó a su máxima expansión. A su muerte, su hijo **Tupac Yupanqui** tras otras conquistas llega al gran reino de Quito, al norte.

Le sucedió su hijo **Huayna Capac**, quien pasó gran parte de su vida sofocando revueltas. Al morir, el reino quedó dividido en dos, ya que no designó sucesor. Sus hijos **Huascar**, en Cuzco (al sur), y **Atahuallpa**, en Quito (al norte), se disputaron el Imperio. Después de sangrientas luchas, Huascar es derrotado y ejecutado; Atahuallpa es hecho prisionero y más tarde es ejecutado por Pizarro, quien había arribado al Perú en mitad de esta lucha fraticida. Es el fin del imperio.

# ➤ QUIPUS

Los incas, para poder llevar la contabilidad de su reino utilizaban un sistema de archivos cifrados llamados quipus. Éstos consistían en una serie de cuerdecillas de diferentes colores con nudos para representar las diversas cantidades, atados, a su vez, a una cuerda principal. Se presume que el color indicaba los diferentes rubros. Así, el amarillo podía indicar el oro, si se trataba de un botín; el rojo, el censo de la población, etc.

Los usaban para saber el número de hombres de sus ejércitos, la cantidad de las cosechas y de los animales de sus rebaños, el censo de la población, las batallas, todo, absolutamente todo, estaba registrado en los quipus y toda la organización del Imperio estaba basada en ellos.

**Cuando un hombre moría, en su tumba se colocaba un quipus. Tal era la importancia que se le daba.**

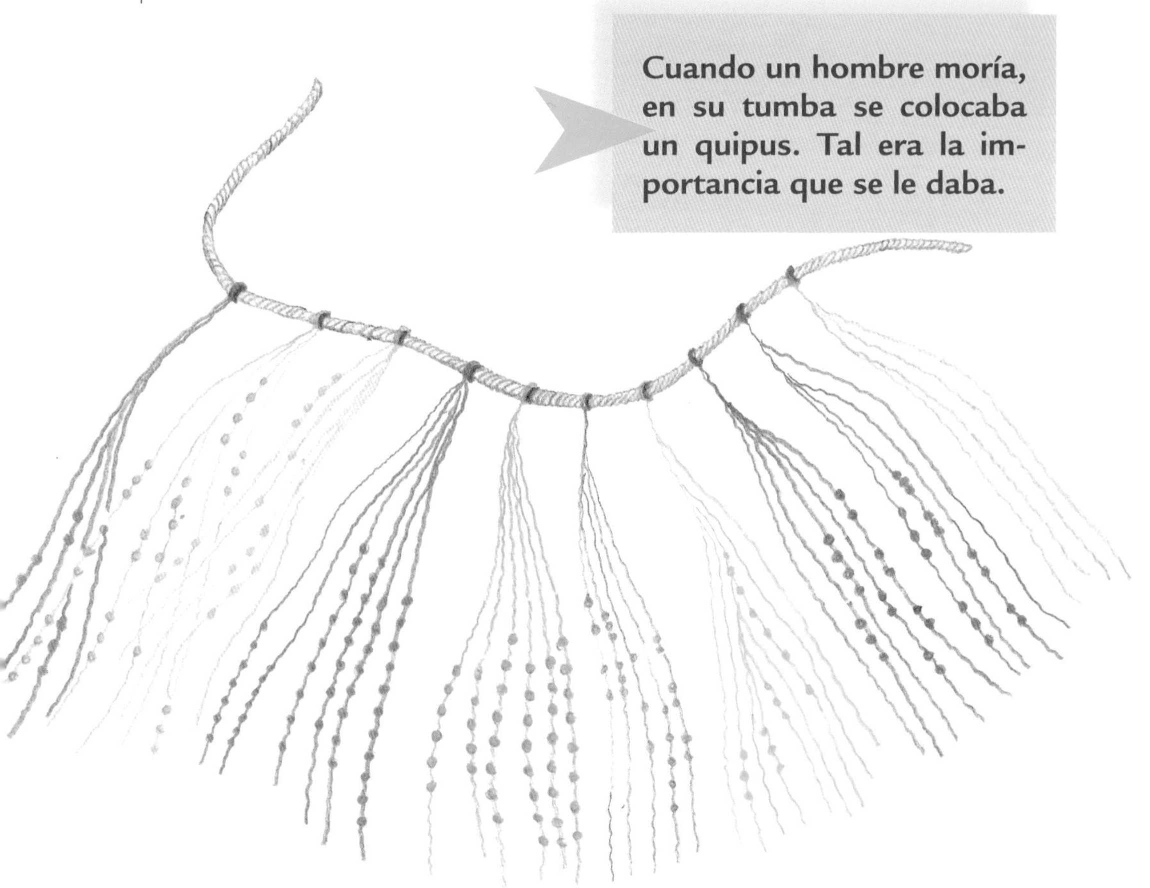

Los **quipucamayocs** se encargaban de descifrarlos y archivarlos. El archivo general estaba en la ciudad de Cuzco.

# ➤ ARMAS Y EJÉRCITOS

*En el imperio inca, cualquier ciudadano puric podía ser llamado al ejército, por eso era tan importante que todos supieran manejar las armas. Estaban obligados a defender el imperio y, además, haciéndolo podían ser elevados en la escala social.*

## LAS ARMAS

Los soldados iban armados con **lanzas** de punta de bronce; **porras** con prolongaciones del mismo metal y las temidas **hondas**, con las cuales arrojaban piedras a una velocidad increíble. También utilizaban los **ayllos**, especie de látigos de siete colas y las **macanas**, mazas con cabezas de piedra o metal y, en menor medida, **arcos** y **flechas**.

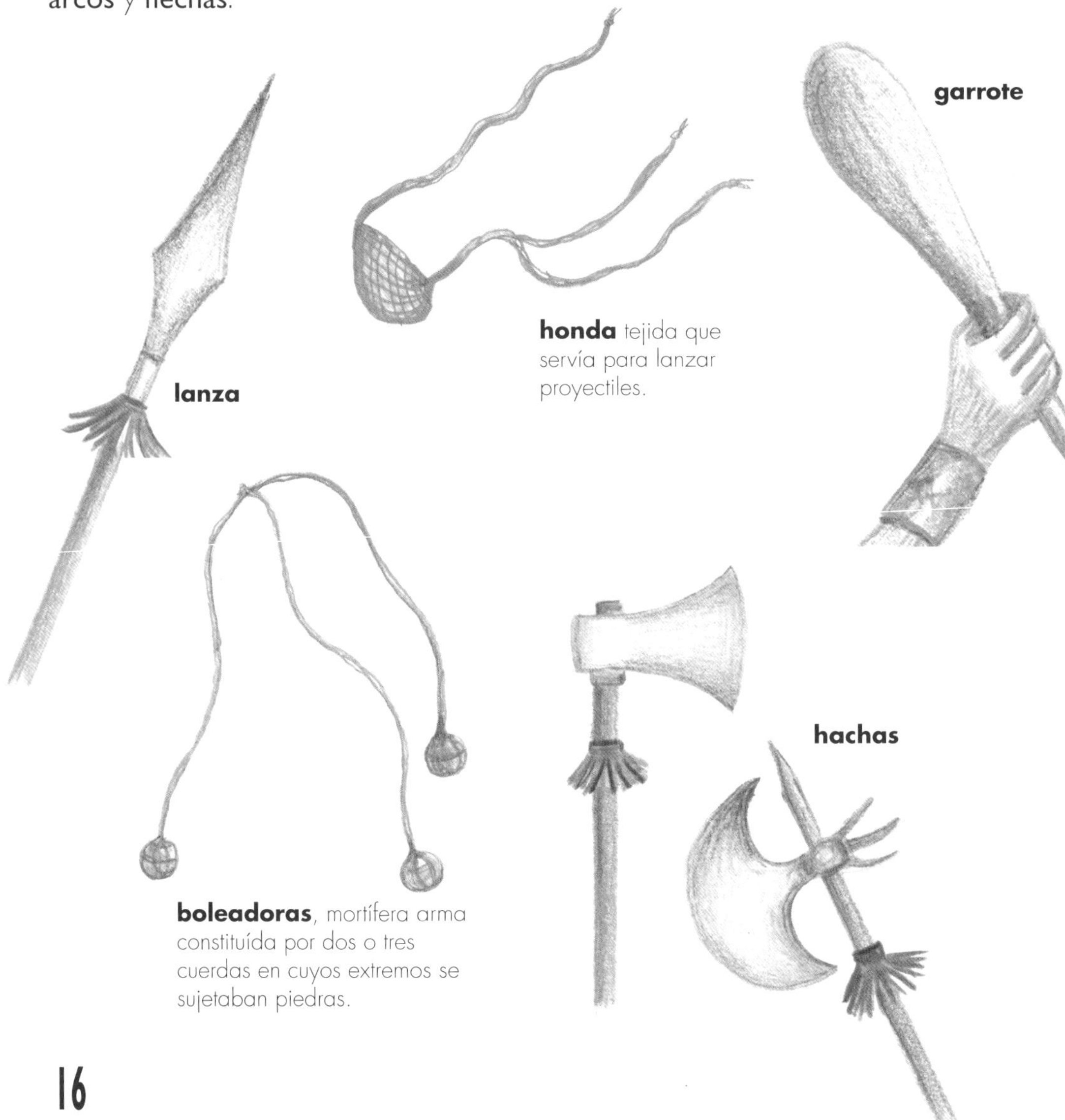


**honda** tejida que servía para lanzar proyectiles.

**boleadoras**, mortífera arma constituida por dos o tres cuerdas en cuyos extremos se sujetaban piedras.

## LA VESTIMENTA

En la cabeza usaban **chucos** (cascos) de cuero o mimbre tejido y acolchado, adornados con penachos de coloridas

Protegían sus espaldas con escudos redondos, de piel de ciervo o tapir, muy resistentes.

Como vestimenta usaban la clásica túnica a cuadros o **untus**, pero debajo de ellas llevaban varias capas de tejido de algodón a modo de coraza.

A modo de gigantesco escudo, utilizaban unas grandes piezas de tejido acolchado de áspero algodón. Cada una de estas piezas protegía a casi 100 hombres.

El imperio inca, gracias a una perfecta organización, llegó a tener el ejército más poderoso de todas las culturas precolombinas. Otro hecho importante que contribuyó a su poderío fue que los incas no aniquilaban a sus enemigos. A los sobrevivientes de las batallas se los persuadía para incorporarse al imperio y al ejército, generosamente.

# ➤ LAS VÍAS INCAS

*Los incas crearon cerca de 40 000 kilómetros de caminos que "de norte a sur" se extendían mediante dos vías principales.*

**La vía Real** iba desde Quito, al norte, hasta Argentina y Chile, al sur. **La vía de la Costa**, desde Tumbes, al norte, hasta Talca (Chile), al sur. Estas dos vías estaban cruzadas por centenares de caminos secundarios que llevaban a los diversos pueblos. De Cuzco partían, además, otras cuatro vías rumbo a las cuatro partes del Tahuantinsuyu.

Tenían ocho metros de ancho y en las grandes ciudades estaban pavimentadas y protegidas por diques y canales para evitar que se inundaran. A los costados se protegían con muros bajos de piedra, de la arena del desierto.

Para pasar por encima de los ríos, utilizaban una especie de funiculares, llamados **oroya**. En las montañas o lugares muy empinados, era reemplazada por escaleras o

El puente colgante sobre el Apurimac continuó utilizándose hasta el año 1880.

puentes colgantes. Cada **ayllu** se ocupaba de mantenerlas en buen estado. Algunos de estos puentes –construidos a 5 000 metros de altura– no tenían ningún punto de apoyo y estaban hechos con fibra de cáñamo trenzada, del grosor de un brazo. También construyeron puentes levadizos y giratorios.

## LOS CHASQUIS

Las vías estaban destinadas principalmente a los **chasquis** (correos del Inca), que lo mantenían informado sobre todo lo que ocurría en el reino, y al desplazamiento de tropas y del propio Inca. También las utilizaban los funcionarios y los comerciantes.

Cuando un chasqui transmitía mal un mensaje, se le daban 50 garrotazos en la cabeza; luego, al cadáver, se le cortaban las piernas.

Los chasquis eran reclutados entre los mejores corredores del imperio. Desde Quito hasta Cuzco tardaban 6 días en llegar. Cada 3 ó 4 kilómetros existían puestos de guardia para reemplazarlos, llamados **chucla**. En su cabeza el chasqui llevaba una vincha de plumas blancas para ser distinguido fácilmente. El chasqui que llegaba se anunciaba con una trompeta, entonces, sin dejar de correr, decía el mensaje en voz alta. El relevo corría a su lado y, una vez aprendido el mensaje, seguía corriendo solo hasta llegar al próximo puesto, donde era relevado a su vez. Además, transportaban cargas para el Inca, como pescado fresco desde la costa.

## LOS TAMBOS

Para descanso y abastecimiento existían, de trecho en trecho, **tambos** (depósitos estatales). Los puestos de relevo del correo estaban integrados a los mismos. Cada ayllu era responsable del mantenimiento del tambo de su zona.

# TRABAJOS POR EDADES

El trabajo se dividía en grupos, de acuerdo a las edades:

**menos de 1 año**
niño en la cuna,

**de 2 a 5 años**
los niños juegan,

**de 5 a 9 años**
los niños guardan
los animales domésticos,

**de 9 a 12 años**
los niños espantan las aves
de los campos de maíz,

**de 12 a 18 años**
los jóvenes conducen los rebaños
de llamas como aprendices,

**de 18 a 25 años:** ayudante de los padres,
**de 25 a 50 años:** puric (adulto que paga impuestos),
**de 50 a 60 años:** hombre que aún puede prestar servicios, como enseñar,
**de 60 en adelante:** anciano o durmiente.

El Inca se ocupaba de mantener a los ancianos, enfermos, viudas, huérfanos y veteranos de guerra. Los enanos trabajaban como bufones del Inca, y los que habían perdido las piernas trabajaban en los telares.

Al no existir la moneda, los impuestos se pagaban con parte de las cosechas o con trabajos en las minas, canteras, edificios, etc.

# ➤ VESTIMENTA

*La vestimenta era básicamente la misma en todos los niveles sociales, salvo por los adornos propios de cada clase y por la calidad de los tejidos.*

Los hombres llevaban una túnica **(uncu)** hasta las rodillas, generalmente a cuadros, y una banda bordada multicolor **(tocapo)** en la cintura. Sobre los hombros, una capa **(llacolla)**; bajo las rodillas, las **sacsas** o rodilleras de flecos, y en los pies, sandalias hechas de fibras flexibles o **usutas**.

**En las zonas altas, más frías, se empleaban tejidos de lana y se usaban ponchos y gorros tejidos multicolores que cubrían las orejas (chullos).**

En la cabeza, una pieza de tela que se sujetaba con alfileres y caía sobre la nuca.

Las mujeres llevaban una túnica larga **(anacus)** hasta los tobillos, una banda bordada en la cintura y una capa amplia sobre los hombros.

Usaban también unos pequeños bolsos llamados **chuspa** y **usutas**, en los pies.

**El uso de piezas de oro, plata y pedrería eran exclusivas de la realeza, la nobleza y el culto.**

El Inca usaba en la cabeza el **llauto**, trenzado multicolor que sujetaba la **mascapaicha**, borla de lana carmesí engarzada en oro, símbolo de su alto rango y se adornaba con plumas del ave Corekenca, muy rara en la zona. En ocasiones especiales, usaba ricas vestimentas tejidas en oro. En las orejas llevaba pesados pendientes de oro, y sobre el pecho, una gorguera de oro y piedras preciosas, al igual que los nobles. El Inca solía usar una capa de piel de murciélago.

# TELARES Y TEJIDOS

*Los incas fueron hábiles tejedores. Todas las mujeres, desde jóvenes, aprendían el uso del telar y a hilar.*

Los tintes los extraían de las plantas y con ellos coloreaban la lana de alpaca y vicuña para elaborar finísimos tejidos destinados al Inca y a su familia. La semilla de palta daba un tinte azul intenso; también teñían con cobre y cinc.

Los vestidos del Inca eran tejidos por las **acllas**, jóvenes muy bellas al servicio del Inca. Los bordaban con placas de oro, plata o cobre y les agregaban plumas multicolores. Este tejido fino de lana de vicuña se llamaba **cumbi**.

Los telares se sujetaban por un extremo a un poste y por el otro a la cintura de la tejedora, que debía inclinarse para aflojarlo y echarse hacia atrás para tensarlo.

Por lo general, estos tejidos carecían de adornos para la gente del pueblo, en cambio, cuando iban destinados al Inca o a la nobleza eran elaborados con mayor cuidado.

También tejían alfombras y tapices de bellísimos colores con los cuales decoraban sus casas, que carecían de muebles.

**Las mujeres estaban permanentemente hilando. Cuando iban a la ciudad, hilaban por el camino. Se necesitaban 1 200 metros de hilo para un vestido**

# ➤ ARTESANOS Y ARTESANÍAS

*Los artesanos eran los trabajadores más respetados de todo el reino, porque poseían una especial habilidad. Había dos clases: los que elaboraban objetos de barro y madera en general y los que trabajaban el oro y la plata.*

A pesar de que no conocían el torno, sus **cerámicas** eran de gran calidad. A veces, a la arcilla le agregaban materiales con cuarzo para darles más resistencia. Trabajaban con moldes, lo cual les permitía realizar muchas piezas idénticas en serie. Fabricaban vasijas de tres patas, enormes recipientes de cocina, aryballes (ánforas de cuello ancho), aríbalos o makkas (grandes recipientes que eran transportados a la espalda), cuencos playos para comer, decorados en cuatro colores con bellos motivos geométricos con peces, aves, mariposas y plantas.

vaso silbador, que emite un silbido al combinarse el agua y el aire.

vaso funerario

vaso de plata o chimú, fabricado de una sola pieza sin soldadura alguna.

kero

**Cuando el Inca Atahuallpa fue hecho prisionero por los españoles, prometió llenar dos veces una habitación de 8m x 5m y hasta una altura de 2m aproximadamente, con oro y plata, si lo dejaban libre. El Inca cumplió su promesa.**

En los trabajos sobre **madera** destacaban las botellas y los keros, vasos para beber decorados con escenas familiares o con el retrato del Inca o de los nobles.

Pero, en lo que más destacaron fue en la elaboración de objetos de **oro y plata**. Alcanzaron tal grado de perfección que al Imperio se lo llamaba el Imperio del Oro o País del Oro. No lo utilizaban como moneda ya que ésta no existía. El oro y la plata eran fundidos y vaciados, forjados y martillados.

# REBAÑOS Y PASTORES

El animal más importante era la llama, ya que les servía como animal de carga. Es un animal que aún se sigue criando. Es muy resistente y puede subir hasta los 5 000 metros de altura. También su carne era apreciada aunque el pueblo inca no la consumía de manera frecuente. Su lana se utilizaba, y aún se sigue utilizando, para diversos tejidos.

Todos poseían rebaños de llamas, desde el Inca y los sacerdotes hasta el hatun runa. Llegaron a tener el mayor ganado conocido en América.

Utilizaban hasta sus huesos para diversos artículos, como instrumentos musicales, y con su estiércol se encendía el fuego.

El Inca poseía llamas blancas, consideradas sagradas, bellísimos animales que eran adornados con piezas de oro en sus orejas. Representaban al primer ser humano que pisó la tierra después del Diluvio.

También poseían rebaños de alpacas, cuya lana era muy apreciada, aunque la lana más fina la obtenían de la vicuña, animal muy díscolo que se criaba de manera salvaje.

Todos estos animales, al igual que el guanaco, tienen una particular manera de defenderse: escupen grandes bolas de saliva.

# UN REINO DE ORO Y PLATA

*El Tahuantinsuyu no sólo fue un imperio extenso sino también inmensamente rico. El oro era la imagen del Inca y se lo consideraba el sudor del Sol.*

Los más grandes artesanos en oro y plata eran los **chimú**, que se incorporaron al reino después de haber sido derrotados por los incas. Realizaron la obra más maravillosa del imperio: **El Jardín del Oro**, para gloria del Inca. En este jardín, ubicado en la ciudad de Cuzco, la tierra, las plantas, las mazorcas de maíz, árboles, flores, aves e insectos, todo era de oro y piedras preciosas. También eran del mismo metal un grupo de muchachas recogiendo la cosecha y un rebaño de pastores con sus llamas, a tamaño natural.

El **oro** lo extraían de las laderas andinas y de los ríos. La plata, en cambio, procedía de las minas. También utilizaban el **platino**, al que llamaban oro blanco, las **perlas**, las **esmeraldas** y el **jade**.

Alpaca de plata hecha con la técnica del repujado. El relieve del metal se consigue trabajando la cara opuesta o interna. Estas alpacas se hacían de oro cuando su destino era el palacio del Inca.

**Un cacique de Túmbez regaló a Francisco Pizarro una esmeralda del tamaño de un huevo.**

En el templo de la Luna había una imagen de Quilla, la luna, hecha de platino, de 10 metros de diámetro y un peso cercano a los 1000 kilos. En el templo del Sol existía, asimismo, una imagen de Inti hecha de oro de enormes dimensiones. La riqueza en oro fue tal que Huayna Capac no sólo doró su palacio con él, sino toda la ciudad de Cuzco, de la cual se decía que hasta los marcos de las puertas eran de oro. Además, había mandado fabricar una cadena de oro de 250 metros de largo y varias toneladas de peso. Esta cadena debía rodear toda la plaza en ocasión de ciertas celebraciones.

**La guardia personal de este Inca usaba armas de oro macizo.**

# ➤ **AGRICULTURA** Y ALIMENTACIÓN

*La agricultura era el principal medio de alimentación y sostenimiento económico del reino. La mayor parte del territorio era aprovechado para la inmensa variedad de cultivos. Éstos se hacían en terrazas escalonadas, labradas sobre las laderas de las montañas. Fantástica invención de los incas que aún hoy se utiliza.*

Poseían un sistema de riego que se extendía a todas las zonas, incluso a las terrazas que estaban sostenidas por muros bajos de piedra, a modo de gigantescos peldaños, para evitar que la tierra se deslizara.

Para la labranza, usaban tacllas, especie de picos con la punta de bronce o cobre. Los hombres clavaban el pico y abrían la tierra, las mujeres venían detrás rompiendo los terrones con una azada de madera de hoja ancha y mango corto. Los niños iban armados con hondas para espantar a las aves.

Los cultivos más importantes eran la **patata** (papa) y el **maíz**, del cual había 20 variedades. De la patata, principal alimento, llegaron a cultivar más de 250 variedades. La comían cocida o desecada. Para eso, las secaban al sol, luego las aplastaban y se elaboraba el chuño, alimento seco que podía conservarse durante mucho tiempo.

También cultivaban la **mandioca,** la **batata** o boniato, la **chinca,** de la cual se extrae un tipo de miel, **porotos, zapallos, avellanas, ananás, nueces, maníes, ajíes, algodón, cacao, papaya, chirimoya, judías, tomates,** etc.

Cultivaban **tabaco**, enrollaban las hojas y las fumaban o aspiraban el polvo que producían las hojas.

Los **árboles frutales** se cultivaban en los valles.

Ocasionalmente, se comía carne de **llama** o **pecarí**. Se comían secas y saladas. Eran muy importantes para alimentar a los ejércitos en sus desplazamientos.

Los **pescados**, **moluscos**, **algas** y otros frutos del mar estaban reservados para el Inca y su familia.

# ➤ IDIOMA Y EDUCACIÓN

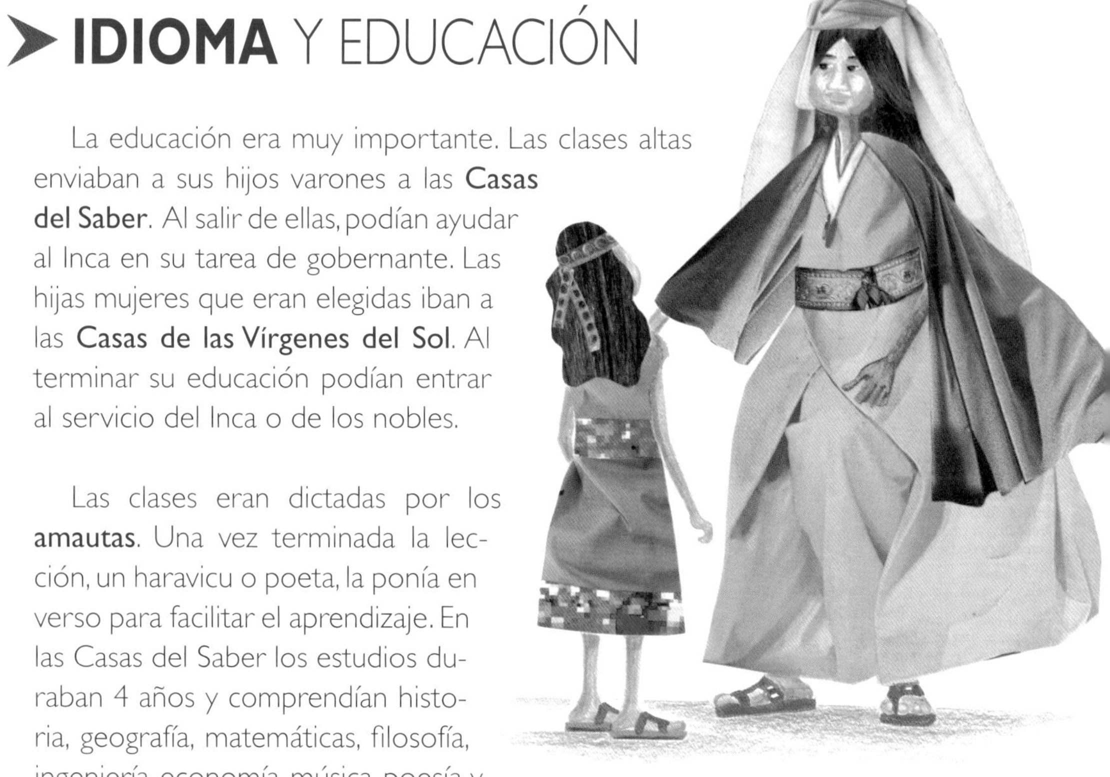

La educación era muy importante. Las clases altas enviaban a sus hijos varones a las **Casas del Saber**. Al salir de ellas, podían ayudar al Inca en su tarea de gobernante. Las hijas mujeres que eran elegidas iban a las **Casas de las Vírgenes del Sol**. Al terminar su educación podían entrar al servicio del Inca o de los nobles.

Las clases eran dictadas por los **amautas**. Una vez terminada la lección, un haravicu o poeta, la ponía en verso para facilitar el aprendizaje. En las Casas del Saber los estudios duraban 4 años y comprendían historia, geografía, matemáticas, filosofía, ingeniería, economía, música, poesía y teatro y astronomía.

**Los incas sí poseían escritura, pero era tan distinta a la europea que los conquistadores españoles no pudieron descifrarla. Prueba de ello es que en el palacio de Pachacuti existían enormes lienzos con dibujos (tocapus) que relataban las batallas y avances del Imperio. Estos lienzos se guardaban en un archivo imperial al que sólo tenían acceso el Inca y los sabios capaces de descifrarlos. Desgraciadamente fue quemado durante la conquista española.**

Por otra parte, los jóvenes aptos para la guerra debían demostrar sus cualidades. Luego podían incorporarse al ejército. Los oficios eran enseñados por los padres a sus hijos. Éstos, posteriormente, podían ser llamados por el Inca para trabajar a su servicio y ser maestros de otros aspirantes.

El idioma oficial era el **quechua**, impuesto por el Inca, quien, para unificar el imperio, enviaba a sus amautas a todos los pueblos para que lo enseñaran. Antiguamente existían en la zona del Perú más de 2 000 lenguas diferentes. Con el tiempo el quechua fue evolucionando hasta convertirse en lenguaje escrito que aún se habla y escribe en muchos pueblos de América del Sur. Es la lengua indígena más hablada.

# ➤ RELIGIÓN Y MITOS

*Los incas, en un principio, consideraron a Viracocha como el creador del Universo. Es el culto más antiguo. Posteriormente, tomaron al Sol como su propio antepasado y comenzaron a venerarlo, y con él, al Inca.*

El Inca era descendiente del Sol. Por eso había una identificación entre el culto al Sol y el culto al Inca. Los incas dividían en dos al mundo: el mundo de arriba, donde moraba **Viracocha** y el mundo de abajo, donde estaba **Pachamama**, la tierra.

## ÓRDENES RELIGIOSAS

Los **sacerdotes** estudiaban las estrellas y utilizaban complicados calendarios. Hacían sacrificios de animales como aves, conejillos de indias o llamas, en raras ocasiones se sacrificaban seres humanos. Esto ocurría cuando el Inca enfermaba o había una epidemia. El alto sacerdote era elegido entre los hermanos del Inca. Era la máxima autoridad y elegía a los sacerdotes menores. Éstos a su vez se encargaban de las huacas y de los templos locales.

Las **mamacumas** eran las encargadas de educar a las Vírgenes del Sol.

Los **hechiceros** estaban en el puesto más bajo. Utilizaban la magia negra en sus rituales y vivían apartados de la sociedad.

Los **curanderos** eran muchas veces mujeres. Curaban a base de hierbas, cánticos y ceremonias mágicas.

**Cuando se coronaba al nuevo Inca, durante la ceremonia se ofrendaban al Sol vasijas de oro llenas de valvas de moluscos y... 200 niños. Éstos debían tener la piel sin manchas ni lunares. Se los adormecía con polvo de coca y se los estrangulaba.**

# LA MOMIFICACIÓN

*Los incas momificaban a sus muertos, al igual que muchas otras culturas.*

El procedimiento de la momificación requería una serie de pasos:

1. se quitaban las masas musculares de las piernas y brazos.
2. se quitaban el corazón, los pulmones, el aparato digestivo, los ojos y el cerebro.
3. el cadáver se secaba sobre arena caliente o cerca del fuego.
4. se quitaba la piel, se la secaba hasta que quedaba apergaminada.
5. luego se enrollaba la piel alrededor de los huesos.
6. después, se ataba el cuerpo, se colocaba en posición fetal, como un ovillo, con las manos en la cabeza.
7. finalmente, se lo envolvía en tela y se le colocaba una cabeza falsa, a modo de máscara funeraria. Se decía que la máscara contenía el espíritu.

Momia enfardada con una cabeza falsa: el cuerpo de la momia está cubierto por múltiples capas de tela atadas con cuerdas. De una de ellas cuelgan pequeñas bolsas que contienen pepitas de aguacate y hojas de coca.

## MOMIFICACIONES REALES

Cuando moría un Inca o un señor de la nobleza, a la momia se la recubría con objetos de oro después de envolverla en lujosos ropajes. A las momias de los Incas se las sentaba sobre tronos de oro y se les colocaba ojos falsos de oro. Muchos de ellos permanecían en sus palacios, en la sala principal. Por eso cada nuevo Inca debía construirse un nuevo palacio, para no profanar la paz del anterior Inca.

A las momias de las Coyas se las llevaba al Templo de la Luna y las sentaban sobre un trono de plata. Estos tronos se colocaban sobre inmensas alfombras tejidas con hilos de oro puro.

# FIESTAS Y CELEBRACIONES

*El hombre de pueblo trabajaba todo el año, por eso el Inca había dispuesto que cada mes se celebrara una fiesta. Generalmente estaban ligadas tanto a la agricultura como a la religión y se ajustaban al año solar.*

Estas celebraciones se llevaban a cabo con la participación de todos los ciudadanos que vestían sus mejores ropas. Algunos se disfrazaban de animales para que la naturaleza estuviera representada. Había cánticos y acompañamientos musicales y portaban estandartes pintados.

Durante la fiesta grande se debían apagar todos los fuegos. Luego, un sacerdote producía el "milagro" de encenderlo. Para ello se valía de una pulsera metálica que, al reflejar la luz del sol, encendía un algodón carmesí. Era el fuego sagrado que luego era llevado en antorchas a las cuatro partes del Imperio.

# CIUDADES, FORTALEZAS Y PALACIOS

## CIUDADES

Todas las ciudades del reino eran una copia de la ciudad de Cuzco. Estaban divididas en cuatro barrios, que se distribuían alrededor de la gran plaza central. Las construcciones civiles eran de un piso o dos. Todas las aberturas de puertas y ventanas tenían forma de trapecio.

Cuzco actualmente.

Las casas de la gente del pueblo, en la costa, eran de adobe; en la montaña, se hacían de piedra. Los techos eran de madera y paja, con dos pendientes. Por lo general, tenían sólo una puerta y pocas ventanas (a veces ninguna), por el frío. Estas casas poseían una sola habitación. No usaban muebles, sino esteras o alfombras tejidas con coloridos diseños. En los muros había huecos a modo de armarios. Las piedras de los muros estaban perfectamente ensambladas sin necesidad de argamasa.

## TEMPLOS

El mejor ejemplo de templo es el de Coricancha, en Cuzco. Tenía tres terrazas superpuestas. Estaba construido con bellísimas piedras, con el contorno superior bordeado con una cinta de oro de 40 centímetros de ancho y 10 centímetros de espesor. A su lado se encontraban los santuarios para la Luna, el Rayo, las estrellas, y el Arco Iris. Dentro, había un enorme disco de oro, representando a Inti, y un lugar con tronos de oro donde se sentaban las momias de los Incas muertos.

## PALACIOS

Los palacios eran de piedra, las cuales se tallaban una a una, dándoles forma de cojín, con los bordes redondeados. Los muros se revestían con planchas de oro y plata, con incrustaciones de fino cristal de roca o con las rosadas conchas de mullu, procedentes del Pacífico. Los techos eran de paja entretejida con hilos de oro. Las habitaciones se disponían alrededor de un gran patio central.

## FORTALEZAS

La fortaleza de Sacsahuamán es uno de los monumentos más importantes del mundo y sus ruinas son las únicas que se conservan de todas las fortalezas incas. Tiene tres murallas escalonadas formadas por enormes bloques de piedra (megalitos) y trazadas en zigzag. Miden 19 metros de altura y 540 metros de longitud. En la terraza inferior, hay tres puertas estrechas que permiten la entrada a las terrazas superiores, donde se encontraban las habitaciones, los cuarteles, los depósitos y los almacenes. En la plaza principal se hallan tres grandes torres. Todo ello servía de refugio a los habitantes de la ciudad en caso de ataque. Un laberinto subterráneo permitía la huida del Inca en caso de peligro. Fue construida durante el reinado de Tupac Yupanqui.

Las piedras de los muros estaban tan perfectamente acopladas que, en caso de moverse a causa de los frecuentes terremotos, se separaban para volver luego ¡a la misma posición!

# ➤ MACHU PICHU, LA CIUDAD PERDIDA

Machu Pichu, la magnífica ciudad inca, fue descubierta en 1912. Está situada a 2 700 metros de altura, en la cima del Pico Viejo, oculto entre las nubes, en la cordillera de los Andes. Mide 700 metros de largo por 500 metros de ancho, con sus 12 barrios y sus 14 plataformas. La rodea una muralla defensiva por su único lado accesible. Los otros tres lados están ocupados por terrazas de cultivo.

## Machu Pichu era esencialmente un lugar de culto y observatorio astronómico.

En uno de los barrios, estaba la Casa de las Vírgenes del Sol. En este barrio, consagrado a la Luna, a Pachamama (la Madre Tierra) y a Mamacocha (Diosa del Mar), existe un altar que representa una escalera de siete peldaños. La escalera simboliza a Pachamama, es por ella que la Madre Tierra hacía surgir a sus hijos desde los infiernos y también por ella se llevaba a los muertos.

En el barrio del oeste se veneraba a Viracocha, Illapa e Inti.

En el barrio del lado este, consagrado también a la Luna, hay un cóndor de piedra que sale de la tierra, remontando el vuelo hacia el nuevo día.

En la parte más alta de la ciudad se halla un pequeño obelisco, donde "se ataba al Sol con una cuerda para que no escapara del cielo". Allí se celebraba el solsticio de invierno, que es cuando el Sol está en su punto más bajo en el cielo.

También en la parte más alta, hay un trono de piedra donde, posiblemente, el Inca se sentaba para observar la construcción de la ciudad.

Machu Pichu fue construida, probablemente, en 1475. Se habría utilizado como último refugio y como lugar para esconder gran parte del oro del Inca durante la conquista española. Posiblemente, también se refugiaran en ella las Vírgenes del Sol. Lo prueba el hecho de que se han encontrado muchos esqueletos de mujeres, pero muy pocos de hombre. Indudablemente, éstos morían lejos de allí, en los campos de batalla. El lugar donde se halla es casi inaccesible y, además, no se la puede ver desde ningún punto de la cordillera. Ésa fue la razón por la que no fue descubierta por los conquistadores españoles.

# ➤ COMERCIO Y TRUEQUE

*En el Tahuantinsuyu no existía la moneda, por eso el sistema que se usaba era el del trueque, es decir, intercambio de mercaderías.*

Los mercados, llamados **catu**, se celebraban cada nueve días en todas las ciudades de cierta importancia. En los catu el truque más importante era el que se hacía entre las tierras bajas y la sierra. Por ejemplo, se cambiaba lana de las montañas por algodón de los valles.

Los fabricantes textiles conseguían tintes y colorantes provenientes de la costa. De la misma manera se conseguían algas, moluscos, pescado seco y especias tropicales. De la selva del Amazonas se traían plumas de papagayo, carnes de animales de la selva, caucho y plantas medicinales, como la quinina.

Por lo general, este intercambio se hacía dentro de los límites del Imperio. No obstante, algunos comerciantes enviados por el Inca llegaban en balsas hasta Centroamérica llevando finos tejidos, vasijas y joyas en oro y plata, y regresaban con objetos de lujo destinados a la realeza y a la nobleza. De Panamá traían perlas y de Colombia, esmeraldas, además, de las preciadas valvas y caparazones de ciertos moluscos, utilizados para los palacios y las ofrendas.

**Estos comerciantes también actuaban como mensajeros y diplomáticos y, en las zonas aún no sometidas, como espías del Inca.**

# MÉDICOS Y MEDICINAS

*En el Tahuantinsuyu la salud de sus habitantes era muy importante, no sólo en forma privada sino que era una cuestión de Estado. Un ciudadano enfermo no podía trabajar, producir ni luchar. Por lo tanto, el Imperio necesitaba gente sana y bien alimentada.*

Los médicos aplicaban métodos de medicina científica como la cirugía, pero, en ocasiones recurrían a ciertos métodos que pertenecían más al terreno de la magia.

En cirugía realizaban complejas operaciones de cráneo como las **trepanaciones**, para lo cual utilizaban un punzón de obsidiana. Luego, cerraban la herida con una plaquita de plata o cáscara de zapallo. Se han encontrado más de 10 000 cráneos trepanados, por lo que se presume que no eran operaciones realizadas por médicos especialistas, cualquiera estaba capacitado para hacerlas. Se supone que estas trepanaciones eran para curar las graves heridas en el cerebro que debían provocar las macanas en las luchas cuerpo a cuerpo.

**Para cerrar las heridas colocaban dos hormigas gigantes, de una especie que hay en el Perú, en los labios de la herida; luego se presionaba a las hormigas para que se entrelazaran entre sí con sus enormes pinzas; después, el médico les cortaba las cabezas que quedaban adheridas a la herida hasta que ésta cerraba por completo.**

Los incas ya aplicaban **clísteres** (enemas) a los pacientes con trastornos digestivos. Consistía en un caño lleno de líquido que el médico soplaba por la otra punta. También realizaban **amputaciones**, porque existía un gusano que se instalaba bajo las uñas o en las plantas de los pies y depositaba allí sus huevos que al nacer sus larvas producían dolores insoportables. Los médicos incas utilizaban muchas **plantas medicinales**, como la coca, el estramonio y la vilca.

# CRONOLOGÍA INCAICA

PERIODO LEGENDARIO

## 1100-1150

Primeros asentamientos de la familia inca en el valle de Cuzco.
Fundación mítica de la ciudad de Cuzco por Manco Capac.

## 1200

**Sinchi Roca**
Construye el primer fuerte, en el valle de Cuzco.
**Lloque Yupanqui**
El más desconocido. No realizó campañas de conquista.
**Mayta Capac**
Inicia la conquista de territorios vecinos.
Impone el culto al Sol como única religión.
A partir de él, la familia inca es reconocida como el pueblo inca.
**Capac Yupanqui**
Extendió los dominios hasta más allá del valle de Cuzco.
Adoptó el quechua como lengua oficial del Estado.

PERIODO MONÁRQUICO

## 1300

**Inca Roca**
Fue el primero en agregar el título de Sapa Inca a su nombre y exigir el culto al Inca como hijo del Sol.
Reinó 60 años.
**Yahuar Huacac**
Logró que la tribu de los anta se uniera voluntariamente al pueblo incaico.

## 1410

**Viracocha**
Adoptó el nombre del creador asegurando que éste se le había aparecido en sueños.
Extendió sus campañas de conquista hacia el sur.
**Urcon Inca**
A raíz de su incapacidad, puso en peligro el reino al dejar avanzar a sus enemigos mortales, los chancas.

## 1438

**Pachacuti**

Su nombre significa "reformador del mundo", muy justificado ya que fue el verdadero reformador del reino.
A partir de él nace el gran imperio inca.
Venció a los chancas y a los collas y llegó hasta el Pacífico.
Reformó la religión reestableciendo el culto a Viracocha.

## 1471

**Topa o Tupac Yupanqui**

Reinó junto a su padre en los últimos años de éste.
Continuó las campañas de conquista.
Conquistó el célebre reino de Chimú y el reino de Quito.

## 1493

**Huayna Capac**

Sometió a los chancas.
Viajó por todo el reino sofocando revueltas.
Al morir (1525) no designó heredero.

## 1525

Guerra civil entre **Atahuallpa** y su hermano **Huascar**.

## 1532

Huascar es derrotado.
Atahuallpa es hecho prisionero por Francisco Pizarro.

## 1533

Muerte de Huascar.
Tras ocho meses de cautiverio, Atahuallpa es ejecutado por los españoles.
Fin del imperio inca.

# DATOS CURIOSOS

Después de la muerte de Atahuallpa, el Inca Manco Capac II, volcó sobre la mesa un jarro lleno de maíz y, tomando uno de ellos, le dijo a los españoles: "Esto es lo que nos habéis robado del oro del Inca", luego señaló el resto y añadió: "y todo esto nos ha quedado".

El contorno de la ciudad de Cuzco era comparado a la figura de un puma. La fortaleza Sacsahuamán era la cabeza. Esta fortaleza, a su vez, tenía forma de halcón. Huamán significa halcón.

El profesor Lumbreras, en el año 1972, realizó un extraño experimento: en el conducto principal del canal más importante de la ciudad de Chavín vertió dos toneles de agua. Ésta, al caer, produjo un ruido en el interior de las galerías igual al rugido del jaguar.

Dicen las crónicas que Mayta Cápac, el IV Inca, nació con dotes fuera de lo común. Nació con la dentadura completa, al año parecía un niño de ocho y a los tres años luchaba con adolescentes. En una ocasión, guerreros alcahuizas entraron al palacio para matar a su padre, Lloque. El niño, junto con dos compañeros de juego, acabó con ellos en un santiamén.

El Inca Pachacuti llegó a tener ciento cincuenta hijos.

Los conquistadores españoles se repartieron las piezas de oro del reino. Al español Sierra de Leguizamo le tocó el enorme disco de oro del templo del Sol. Por la noche, antes del amanecer se lo jugó a las cartas y lo perdió. De ahí nace el dicho: "Jugarse el sol antes de que amanezca".

Titu Cusi Hualpa, el VII Inca, pasó a la historia por un hecho muy curioso: Tocay Capac, el jefe de los ayamarcas, dolido contra el padre de Titu Cusi, el Inca Roca, invitó a Titu Cusi Hualpa, que en ese momento tenía ocho años, a su palacio con la oscura intención de matarlo. El Inca no sospechó nada y envió al niño con una fuerte guardia personal. Al llegar al palacio de Tocay los guardias fueron aniquilados y, cuando ya iban a matar a Tito Cusi éste lloró lágrimas de sangre. Esto se consideró como una señal divina y Tocay le perdonó la vida. Desde ese momento, a Tito Cusi se lo llamó Yahuar Huacac (El Llora Sangre).

En la región donde antiguamente se levantaba la gran ciudad de Tiahuánaco existen unos gigantes de piedra de ocho metros de altura que, se supone, eran los antiguos gigantes que habitaron la tierra.

Los enemigos del Inca Atahuallpa eran obligados a humillarse arrancándose los pelos de las cejas y arrojándolos hacia la ciudad de Cajamarca, residencia del Inca, y rendirle así homenaje.

Pachacuti fue el primer Inca que vio el mar. Volvió a Cuzco con un extraño trofeo: una enorme ballena.

Los chachapoyas tenían la piel blanca a diferencia de los demás pueblos que poseían la piel oscura.

En el enfrentamiento que hubo entre chancas e incas en las afueras de Cuzco, los chancas contaban con 100 000 hombres y los incas sólo con 700. El lugar donde se desarrolló la batalla se llamó posteriormente Yahuarpampa (Campo Sangriento), debido a la gran cantidad de muertos. Los chancas fueron vencidos y se unieron al imperio inca.

Pachacuti, en uno de sus muchos viajes, visitó la cueva desde donde, según la leyenda, habían partido Manco Capac y sus hermanos. Pachacuti la hizo enmarcar en oro.

# ➤ ACTIVIDADES

## ACTIVIDAD 1

Coloca las palabras que faltan:

1.- ........................ ........................ clavó su bastón de oro en la tierra y allí fundó ........................

2.- Atahuallpa y ........................ se disputaron el imperio inca.

3.- Los ........................ eran llamados así por los españoles debido a los pesados pendientes que usaban.

4.- En el lago Titicaca existió antiguamente la ciudad de ..............................

5.- La principal fiesta del imperio inca, el .................................... , se celebraba en el mes de junio.

Solución
1.- Manco Capac - Cuzco
2.- Huascar
3.- Orejones
4.- Tiahuanaco
5.- Inti Raymi

## ACTIVIDAD 2

Relaciona correctamente:

| | |
|---|---|
| Inca | mensaje |
| puric | oro |
| haravicu | lana |
| amauta | Manco Capac |
| chasqui | poema |
| uncu | fiesta |
| vicuña | maíz |
| leyenda | lliclla |
| Inti Raymi | impuestos |
| chicha | escuela |

Solución:
Inca – oro
puric – impuestos
haravicu – poema
amauta – Escuela
Chasqui – mensaje
uncu – lliclla
vicuña – lana
leyenda – Manco Capac
Inti Raymi – fiesta
chicha – maíz

## ACTIVIDAD 3

Cuestionario:

1.- ¿Qué es un tocapu?

A) Un vaso de madera

B) Una prenda de vestir

C) Un dibujo

2.- ¿A quién se llamaba "el Reformador del Mundo"?

A) A Atahuallpa

B) A Pachacuti

C) A Manco Capac

3.- ¿Con qué se fabricaba la chicha?

A) Con patatas

B) Con maíz

C) Con alubias

4.- ¿Quién era "el Creador" para los incas?

A) Viracocha

B) Illapa

C) Inti

5.- ¿Cómo se llamaba la Madre Tierra?

A) Mamacuma

B) Pachamama

C) Tahuantinsuyu

6.- ¿Qué eran los chancas?

A) Un sistema de nudos

B) Una tribu enemiga

C) Mensajeros del Inca

7.- ¿Cuál era la misión de los chasquis?

A) Enseñar
B) Elegir a las acllas
C) Llevar mensajes

8.- ¿Cuántos años duraban los estudios en las Casas del Saber?

A) Uno
B) Cuatro
C) Seis

9.- ¿Quiénes formaban los ayllus?

A) Familias
B) Guerreros
C) Los nobles

10.- ¿A quién representaba el Inca en la Tierra?

A) A Inti
B) A Viracocha
C) A Quilla

Soluciones:

1.- Un dibujo (C)
2.- A Pachacuti (B)
3.- Con maíz (B)
4.- Viracocha (A)
5.- Pachamama (B)
6.- Una tribu enemiga (B)
7.- Llevar mensajes (C)
8.- Cuatro (B)
9.- Familias (A)
10.- A Inti (A)

# GLOSARIO

**Aclla:** muchacha virgen, cuidada en un convento.
**Ajíes:** pimientos.
**Amauta:** sabios, guardianes de la tradición.
**Anacu:** túnica larga.
**Ananá:** piña.
**Apo:** señor grande y principal. Genio de los montes.
**Aríbalo:** ánfora de dos asas, con boca ancha.
**Aryballe:** recipiente de barro de cuello ancho.
**Ayllo:** látigo de siete colas.
**Ayllu:** agrupación de familias en un terreno común.
**Ayrihuay:** mes de abril y fiesta de la recolección del maíz.
**Capac Raymi:** mes de diciembre y del solsticio de verano.
**Coricancha:** casa de oro. Templo del Sol en Cuzco.
**Coya Reina:** esposa-hermana del Inca.
**Coya Raymi:** mes de septiembre.
**Cumbi:** tejido muy fino.
**Curaca:** señor de un pueblo o cacique.
**Chacra:** parcela de tierra cultivable.
**Chasqui:** mensajero.
**Chicha:** bebida alcohólica, elaborada con maíz.
**Chinca:** planta de la que se extrae cierto tipo de miel.
**Chucla:** estafeta postal. Lugar de relevo de los chasquis.
**Chuco:** casco.
**Chuño:** alimento elaborado a base de patata desecada.
**Chuspa:** bolso pequeño.
**Haravicu:** poeta.
**Hatun Pocoy:** mes de febrero.
**Hatun Runa:** hombre de pueblo.
**Huaca:** divinidad, lugar u objeto sagrado.
**Inti Raymi:** mes de junio. Solsticio de invierno.
**Kero:** vaso de madera de boca ancha.
**Llauto:** trenzado de lanas de diferente colores que se enrollaba alrededor de la cabeza.
**Lliclla:** capa

**Macana:** arma. Maza con cabeza de piedra o metal.
**Mamacumas:** mujeres destinadas a la educación de las acllas.
**Maní:** cacahuete.
**Mascapaicha:** borla de lana carmesí, engarzada en oro, que se sujetaba al llauto. Emblema de la soberanía incaica.
**Minca:** sistema de trabajo en beneficio de otro.
**Mita:** trabajo realizado para beneficio del imperio.
**Mitimae:** individuos trasladados de zona.
**Mullu:** concha rosada, procedente del Pacífico.
**Orejones:** nombre dado por los españoles a los señores de la realeza inca, debido a los grandes pendientes de oro que usaban y que les deformaban las orejas.
**Pachamama:** madre tierra.
**Pachapucuy:** mes de Marzo y fiesta de las flores.
**Panaca:** grupo de parentesco constituido por toda la descendencia del Inca.
**Papa:** patata.
**Piruas:** graneros.
**Poncho:** prenda de abrigo rectangular con una abertura central para pasar la cabeza.
**Poroto:** alubia.
**Puric:** ciudadano adulto que paga impuestos.
**Quechua:** lenguaje del Imperio. Lengua actual de muchos países andinos.
**Quipu:** conjunto de hilos de colores de diferentes longitudes, anudados y que servían como sistema de contabilidad.
**Quipucamayoc:** oficial especialista en la interpretación de los quipus.
**Sapa-Inca:** rey único.
**Tahuantinsuyu:** imperio de las cuatro regiones.
**Tambo:** depósitos estatales, dispuestos a lo largo de la red viaria.
**Tocapu:** dibujos geométricos que se usaban a modo de escritura.
**Tumi:** cuchillo de hoja perpendicular al mango.
**Uncu:** túnica corta, generalmente a cuadros.
**Usuta:** sandalia.
**Vicuña:** animal no domesticable. Posee una finísima lana.
**Zapallo:** calabaza.